Mae'r llyfr Dref Wen hwn yn perthyn i

- - - - - - - - - - - - - - - -

LLYN
TENGRÉLA

RHAEADR
KARFIGUÉLA

TAI
GURUNSI

BANFOURA

CROMENNI
FABEDOUGOU

BOBO

COEDWIG MOU

I Daisy – S.D.

I Hendrik a Rune – C.C.

Hawlfraint y testun © 2016 Stephen Davies. Hawlfraint y lluniau © 2016 Christopher Corr. Hawlfraint © 2017 y fersiwn Cymraeg Dref Wen Cyf.

Mae Stephen Davies a Christopher Corr wedi datgan eu hawl i gael eu cydnabod fel awdur ac arlunydd y gwaith hwn yn unol â deddf Hawlfraint, Dyluniadau a Phatentau 1988.

Cyhoeddiad Saesneg gwreiddiol gan Andersen Press dan y teitl *All Aboard the Bobo Road*

Cyhoeddwyd yn Gymraeg gan Wasg y Dref Wen, 28 Ffordd yr Eglwys, Yr Eglwys Newydd, Caerdydd CF14 2EA Ffôn 029 20617860.

Addaswyd gan Elin Meek.

Cyhoeddwyd gyda chymorth ariannol Cyngor Llyfrau Cymru.

Argraffwyd yn Singapore. Cedwir pob hawlfraint.

PAWB AR Y BWS I BOBO!

Stephen Davies   Christopher Corr

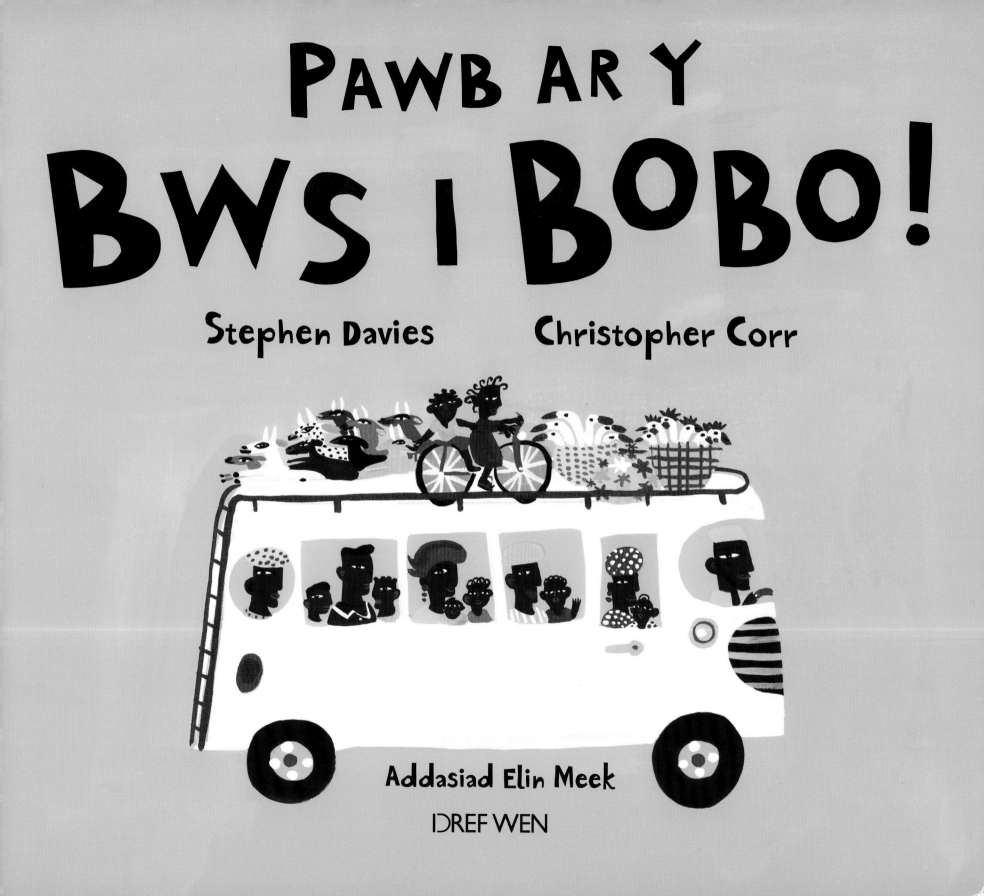

Addasiad Elin Meek

DREF WEN

Yng ngorsaf fysiau Banfoura mae llond y lle o deithwyr siaradus yn mynd ar fws mini Ali Mawr.

"Pawb ar y bws i Bobo!" bloeddia Ali Mawr.

"Y daith harddaf yn y byd!"

I fyny fry ar do'r bws mini, yn helpu i lwytho'r bagiau,
mae Fatima a Galo, plant Ali Mawr. Maen nhw wrth eu bodd
yn cael mynd i Bobo ac mae'r ddau wedi cyffrou'n fawr.

Bîp, Bîp – ac i ffwrdd â nhw!

Mae olwynion
y bws mini'n
troi.

"Mwynhewch y daith!" bloeddia Ali Mawr.
"Llyn Tengréla fydd y stop nesaf."
Mae Fatima a Galo yn reidio ar y to.
Maen nhw'n hoffi gofalu am y bagiau
a theimlo'r gwynt ar eu hwynebau.

Wrth y llyn hipos mae'r bws
yn arafu ac yn dod i stop.

Mae pobl yn dod ar y bws ac mae bagiau i'w llwytho:
dau foped a thri beic. Mae Fatima a Galo'n
defnyddio rhaffau i'w clymu nhw'n sownd.

BÎP, BÎP! I ffwrdd â nhw eto.

"Hwyl fawr, hipos!"
bloeddia Ali Mawr.
"Rhaeadr Karfiguéla
fydd y stop nesaf."

Wrth y rhaeadr, mae'r bws yn arafu ac yn dod i stop.
Mae rhagor o bobl yn dod ar y bws ac mae rhagor
o fagiau i'w llwytho: pedwar can o olew
coginio a phum sach o reis.

Bîp,
Bîp!
I ffwrdd â nhw eto.

"Daliwch yn dynn!" bloeddia Ali Mawr.
"Cromenni Fabedougou fydd y stop nesaf."

Yng nghysgod yr hen gromenni creigiog, mae'r bws yn arafu ac yn dod i stop. Mae hyd yn oed rhagor o bobl yn dod ar y bws ac mae hyd yn oed rhagor o fagiau i'w llwytho: chwe iam anferthol a saith melon dŵr. "Paid â bwyta'r melonau yna, Galo!" medd Fatima. "Nid i ti maen nhw."

Ac yna – BÎP, BÎP!
I ffwrdd â nhw eto.

"Fe ddywedais i fod y daith hon yn hardd, on'd do?" bloeddia Ali Mawr.
"Coedwig hudolus Mou fydd y stop nesaf."

Ynghanol y goedwig dywyll, ddu, mae'r bws yn arafu
ac yn dod i stop. Y tro hwn mae'r bagiau'n fyw!

Wyth hwyaden, naw gafr a deg iâr – mae Fatima a Galo'n gwneud yr
anifeiliaid yn gysurus ar y bws. Ac yna – BÎP, BÎP! I ffwrdd â nhw eto.
"Bobo fydd y stop nesaf!" bloeddia Ali Mawr.

Mae'r bws mini'n
gyrru allan o'r goedwig
ac i mewn i ddinas fawr.

Maen nhw'n ysgwyd
eu ffordd heibio i stondinau
ffrwythau a chaffi lindys,

heibio i'r orsaf drenau a'r hen fosg crand.

O'r diwedd maen nhw'n cyrraedd gorsaf Bobo.

"Pawb oddi ar y bws!"

Mae Fatima a Galo'n tisian ac yn gwichian
wrth helpu Ali Mawr i ddadlwytho deg iâr,
naw gafr ac wyth hwyaden.
Mae asyn a chert yn aros i fynd
â'r anifeiliaid i'r farchnad.

Mae Galo'n chwythu ac yn pwffian
wrth ddadlwytho saith melon dŵr
a chwe iam anferthol.
Mae menywod yn mynd â'r ffrwythau
a'r llysiau. "Nawr fe gawn ni osod
ein stondin," medden nhw.

Mae Fatima'n ymdrechu ac
yn ymestyn wrth ddadlwytho
pum sach o reis a phedwar can
o olew coginio.

"Diolch," medd dyn.
"Nawr fe gaf i agor
fy nhŷ bwyta."

Mae'r plant yn flinedig ac yn llwglyd wrth helpu Ali Mawr i ddadlwytho tri beic a dau foped.

"Diolch," meddai'r perchnogion.
"Fe welwn ni chi eto chwap."

Mae'r bagiau i gyd wedi mynd, heblaw am un peth;
y pecyn mawr crwn sydd wedi'i lapio mewn lliain a llinyn.
"Edrychwch!" meddai Fatima. "Pecyn pwy yw e, tybed?"
"Eich pecyn chi'ch dau yw e," bloeddia Ali Mawr.
"Rydych chi'n ei haeddu."
Maen nhw'n agor y pecyn mawr crwn...

a'r tu mewn mae
potyn enfawr o reis,
ffa a physgod wedi'u ffrio!
Mae Fatima a Galo'n golchi eu
dwylo ac yn eistedd i lawr o
gwmpas y potyn gyda'u tad.

"Golygfa hardd arall,"
sibryda Ali Mawr,
gan syllu ar y machlud.
"Ie," medd y plant,
"ac mae'n flasus
dros ben, hefyd!"

LLYN
TENGRÉLA

RHAEADR
KARFIGUÉLA

TAI
GURUNSI

BANFOURA

CROMENNI
FABEDOUGOU

BOBO

COEDWIG MOU